15, rue des Embuscades

Données de catalogage avant publication (Canada)

Stanké Claudie

15, rue des Embuscades
(Collection Atout; 50. Policier)
Pour les jeunes de 10 ans et plus.

ISBN 2-89428-428-4

I. Vincent, Daniel M. II. Titre. III. Quinze, rue des Embuscades.
IV. Collection : Atout; 50. V. Collection : Atout. Policier.

PS8587.T322Q56 2000 jC843'.54 C00-940893-2
PS9587.T322Q56 2000
PZ23.S72Qu 2000

Les Éditions Hurtubise HMH bénéficient du soutien financier des institutions suivantes pour leurs activités d'édition :

- Conseil des Arts du Canada;
- Gouvernement du Canada par l'entremise du Programme d'aide au développement de l'industrie de l'édition (PADIÉ);
- Société de développement des entreprises culturelles au Québec (SODEC).

Conception graphique : **Nicole Morisset**
Illustration de la couverture : **Caroline Merola**
Mise en page : **Lucie Coulombe**

1815, avenue De Lorimier
Montréal (Québec)
H2K 3W6 Canada
Téléphone : (514) 523-1523
www.hurtubisehmh.com

Dépôt légal/4e trimestre 2000
Bibliothèque nationale du Canada
Bibliothèque nationale du Québec

Distribution en France : Librairie du Québec/DEQ

Imprimé au Canada

Claudie Stanké est comédienne de formation. Elle travaille souvent pour la radio où elle fait des narrations, des lectures de textes. Claudie écrit des pièces de théâtre, des scénarios et des romans. Elle fait aussi de la sculpture et de la mise en scène. Claudie parle la langue des signes québécoise (L.S.Q.) et les pièces qu'elle monte sont jouées par des adolescents sourds (gestuels et oralistes). Elle a publié *Le Chatouille-cœur* dans la collection Atout, *Mes vacances avec Lili* et *Lili et moi* dans la collection Plus.

De parents québécois, né en Angleterre en 1961 et élevé en France, en Suisse et en Allemagne, **Daniel M. Vincent** a toujours eu une valise près de lui. Au Québec depuis plus de vingt ans, il partage sa vie entre le doublage de films et les voyages. Que ce soit pour écrire des dialogues ou des cartes postales, il a toujours un crayon à la main. *15, rue des Embuscades* est son premier roman pour la jeunesse.

Daniel et Claudie ont écrit ce roman ensemble. Daniel a écrit les lettres d'Éric et Claudie, les lettres de Pascale.

Claudie Stanké
Daniel M. Vincent

15, rue des Embuscades

Collection **ATOUT**

dirigée par Catherine Germain

À Vikiri

« Lamberstruck, ça ne court pas les rues, mais je connais tous les trucs. » Il y a soixante-deux ans maintenant que je dis la même chose pour me présenter ou quand on me demande mon nom. En général, ça fait sourire et l'humour est une bonne façon de créer des liens. Il permet surtout aux gens que je rencontre d'oublier la bizarrerie de ce nom d'origine alsacienne qui étonne toujours quand on l'entend.

Je suis inspecteur de police retraité, veuf et sans enfant. J'en aurais bien voulu, des enfants, mais la vie en a décidé autrement et c'est sans doute mieux ainsi parce que dans la police, il est très difficile d'avoir une vie de famille. J'en parle comme si j'y étais encore et pourtant, c'est du passé. C'est une demi-vérité quand je dis « retraité », car malgré mon amour du métier et une carrière que certains ont qualifiée d'exemplaire, j'ai démissionné. Je n'étais qu'à huit mois de la retraite, mais je me suis rendu compte que les milieux policiers n'étaient pas aussi irréprochables qu'on peut le croire. J'ai donc préféré me retirer pendant que mes souvenirs n'avaient pas encore un goût trop amer.

J'en ai coincé des méchants, des bandits, des truands et j'ai presque toujours trouvé la clef des énigmes les plus compliquées. C'est une passion que j'ai depuis mon plus jeune âge. Déjà, à l'école, quand quelque chose disparaissait ou qu'une bagarre éclatait, j'étais le premier à poser des questions. Qui avait fait quoi, quand, où et pourquoi ? Où était Untel à ce moment-là et que faisait-il ? Toutes les réponses étaient les pièces d'un casse-tête et je les remettais chacune à sa place pour obtenir finalement une image claire de la solution. Évidemment, je ne me faisais pas toujours que des amis, mais cette obsession que j'avais et que j'ai encore de la vérité attirait vers moi les bonnes personnes.

Dans ce métier, on ne cesse jamais de s'étonner du comportement des gens qu'on cherche à arrêter. Leur manière d'agir évolue constamment et la gravité de leurs crimes devient en général de plus en plus impressionnante. J'ai connu bien des moments de découragement et j'ai même plusieurs fois pensé sortir de ce milieu souvent sordide, mais j'ai toujours été convaincu que ma mission était de contribuer à rendre ce monde plus honnête et plus sécuritaire. Alors je me suis accroché.

L'année dernière pourtant, un événement m'a forcé à voir mon métier d'un autre œil. Une affaire toute simple, avec coupable et victime, qui aurait pu passer complètement inaperçue, mais qui en fin de compte m'a poussé à remettre ma démission. Mon geste a beaucoup surpris et surprend encore mon entourage. On me pose bien des questions, mais je demeure toujours vague, préférant ne plus y penser.

Je sais cependant aujourd'hui que je ne pourrai jamais oublier ce qui s'est réellement passé. Cet événement m'a presque poussé à détester ce métier pour lequel j'avais tout donné et ça, ce n'est pas normal. Je crois encore qu'il ne faut jamais cesser de défendre la justice et c'est sans doute dans ce but que j'ai décidé de ne plus me taire et d'exposer la dernière affaire de ma carrière. Il n'y est question ni de mafia ni de drogue, ni même de crime organisé, comme ils disent. Il n'y est question de rien qui soit à la mode. Il s'agit d'un drame qui n'aurait pas dû arriver et dont témoignent très bien les lettres qui suivent.

Chère Pascale,

Quelque chose s'est passé il y a trois semaines, à Montréal, qui m'a forcé à prendre la fuite, tout simplement. J'ai quitté le pays et ne pense pas pouvoir y revenir un jour. Je te préviens tout de suite : tu ne sauras pas où je suis, car je dois rester caché. Si tu veux encore me donner de tes nouvelles, donne la lettre à un certain Rémy, de l'agence de voyages Les Tourterelles, au 1245, rue Prince-Henry. Il saura quoi en faire.

Éric

Montréal, 17 février

Éric,

Un mois sans nouvelles, je peux dire que j'étais super-inquiète ! Et cette lettre tout à coup qui arrive de nulle part et qui m'annonce ton départ forcé. Je n'y comprends rien...

Pour te dire la vérité, je me doutais bien qu'il était arrivé quelque chose. C'est vrai, depuis que j'habite chez tante Maude, il ne se passe pas une semaine sans que tu me téléphones. La semaine dernière, je suis même allée voir chez toi, deux fois. Mais j'ai eu beau sonner, personne. Philippe et Nicolas n'y étaient pas non plus. Alors j'ai décidé d'aller au magasin d'électronique. Comme tu n'y étais pas, j'ai demandé au patron si tu travaillais bien cette journée-là. Il m'a répondu que tu ne travaillais plus pour lui... J'étais tellement surprise que je suis repartie sans rien dire. Mais au moment où j'ai refermé la porte, un vendeur s'est approché de moi et m'a dit : « Ça fait un mois qu'on l'a pas vu. » Puis il a ajouté tout bas, pour être bien sûr que personne ne l'entende : « Si j'avais un autre job, je ferais comme Éric, je partirais sans prévenir. »

Mais je ne l'écoutais plus, car dans ma tête il y avait cette phrase qui rebondissait encore et encore : « Ça fait un mois qu'on l'a pas vu, ça fait un mois... »

Après être allée chez toi et au magasin, il ne me restait plus qu'à me rendre rue des Embuscades. Je savais que tu faisais des travaux dans une maison de cette rue-là. Le problème, c'est que je n'avais pas l'adresse... Je m'étais dit qu'en sonnant à toutes les portes, je finirais par te trouver, mais quand j'ai vu les maisons – il y en avait une qui était au moins trois fois plus grande que celle de tante Maude –, j'ai été tellement impressionnée que je n'ai pas osé sonner. Il faut dire aussi que le soir tombait, il commençait à faire sombre et je ne me sentais pas tranquille toute seule au milieu de ces maisons. À tout moment, je pensais que quelqu'un allait surgir de derrière les buissons. Mon cœur battait si fort qu'il résonnait jusque dans mes oreilles.

J'ai donc décidé de rebrousser chemin. En repartant, je suis passée devant une maison qui ressemblait à un vieux château abandonné. Tous les volets semblaient fermés et pourtant, on les entendait claquer au vent ; ça me donnait froid dans le dos. En plus, il y avait deux chiens en pierre qui montaient la garde devant l'entrée, deux gros chiens avec la gueule grande ouverte. Ils paraissaient vrais. Tellement que je me suis dit qu'il valait mieux que je me sauve si je ne voulais pas y laisser ma peau.

De retour à la maison, tante Maude m'a posé un tas de questions ; elle voyait bien que je n'étais pas comme d'habitude. Mais moi, je ne lui ai rien dit. Ou plutôt, j'ai continué de mentir comme je le faisais depuis un mois. Car comme tu peux t'en douter, ton silence l'inquiétait aussi... Alors quand elle se plaignait que tu nous abandonnais, je lui disais que je t'avais parlé le matin même, ou que tu étais venu me voir à la sortie de l'école et que tu passerais à la maison un de ces soirs... Je lui ai menti comme ça, de semaines en semaines. Pourtant j'aime beaucoup tante Maude mais, je ne sais pas pourquoi, il y avait quelque chose en moi qui me disait de me taire, comme si je savais que je devais attendre...

S'il te plaît, j'ai besoin que tu m'écrives, car ta lettre n'a rien de rassurant. Il faut que tu me dises ce qui se passe.

Je viens de téléphoner à l'agence de voyages, elle ferme dans une heure. Je cours donc remettre cette lettre à ce Rémy dont tu m'as parlé. Réponds-moi au plus vite !

Je t'embrasse,

Pascale

Quelque part,
dimanche, 8 mars

Chère Pascale,

J'ai bien reçu ta lettre et je t'en remercie mille fois. Je suis vraiment content de voir que ce système de courrier fonctionne. Je ne sais pas quel effet te fera cette lettre, mais après tout ce temps sans nouvelles de ton grand frère préféré, j'espère qu'elle pourra te rassurer un peu. Si je t'écris, c'est surtout pour te dire que je suis encore en vie, que je vais bien et que tu me manques souvent là où je suis. Hé oui ! Je suis bien vivant, même si aujourd'hui ma vie n'est plus ce qu'elle était avant.

Je t'ai expliqué comment me faire parvenir de tes nouvelles, mais pour l'instant, sois patiente et ne fais rien pour retrouver ma trace : ce serait aussi inutile pour toi que dangereux pour moi. Je sais que tout ça peut sembler un peu trop mystérieux ou rocambolesque, mais je te supplie de me faire confiance et de ne pas essayer de découvrir où je me cache.

Tu risques de ne pas aimer ce que tu vas lire, mais le jugement que tu porteras sera sans doute des plus justes.

Avant de continuer, mais sans vouloir te faire peur, il se peut que la police vienne te poser des questions. Je t'en supplie, Pascale, oublie tout ce que tu vas lire : tu ne sais rien et tu ne sais pas où je suis.

La maison que tu cherchais, rue des Embuscades, était celle de la vieille madame Cliquot, chez qui je faisais en effet de petits travaux de bricolage et de peinture. Elle habitait seule dans cette grande maison de Montréal, car elle avait perdu son mari à une de ces guerres, dont on a étudié les ravages en histoire, à l'école. C'est grâce à elle que je pouvais mettre de l'essence dans mon scooter et acheter des disques presque chaque fois que j'en avais envie. Elle était toujours très gentille avec moi. Je pense qu'elle appréciait moins la qualité de mon travail que la distraction que lui apportait ma présence. Il y avait toujours quelque chose à repeindre ou à réparer, tout était vieux, comme d'une autre époque. Quand j'y repense aujourd'hui, je crois que le temps que je passais dans sa maison répondait d'une certaine façon à mon besoin d'évasion et de liberté.

Je peux même te faire un petit aveu : les outils dont le grand coffre métallique de papa semblait si mystérieusement se dégarnir sont tous chez elle. Tu t'en doutais sûrement, mais comme j'ai toujours nié être mêlé à ces disparitions multiples et successives, je crois que tu seras contente de savoir que tu avais raison.

Et tant qu'à ouvrir la boîte aux révélations, je pense qu'il est temps d'entrer dans le vif du sujet. Un mercredi soir, il y a six semaines, madame Cliquot, la veuve, est morte. C'est moi, Éric, ton propre frère, qui l'ai tuée.

Je tenterai de te décrire les événements qui me conduisent à te faire cet horrible aveu, mais sache que l'esprit semble avoir une tendance innée à rendre les ingrédients les plus amers de la mémoire si solubles que ceux-ci disparaissent comme par magie dans la soupe aux souvenirs.

C'est arrivé alors que j'étais resté chez elle plus tard que d'habitude pour terminer la peinture du salon du premier étage, pour lequel elle devait recevoir le lendemain matin des meubles neufs qu'elle avait achetés. Comme je n'avais pas de cours le mercredi après-midi ni le jeudi matin, ça ne m'ennuyait pas de travailler tard. J'avais mis ma salopette bleue, ma casquette de peintre et maniais joyeusement le rouleau.

Vers sept heures, le téléphone a sonné et après quelques secondes j'ai entendu madame Cliquot m'appeler d'en bas pour me dire de décrocher le récepteur, car l'appel était pour moi. J'ai tout de suite reconnu la voix de mon copain Philippe Lavallée, le Grand Boutonneux, comme tu l'appelais toujours. Je n'ai jamais trop compris pourquoi tu ne l'aimais pas, il m'a toujours semblé être un bon gars et malgré toutes les rigolades parfois puériles que nous partagions lui et moi, c'était quelqu'un d'assez sérieux quand il le fallait. Il m'appelait de la Rotonde, ce café où je me faisais un malin plaisir de le battre autant au backgammon qu'aux autres jeux de dés auxquels il s'obstinait à jouer contre moi. Ça faisait une heure qu'il m'attendait, car nous avions rendez-vous tous les deux. J'avais complètement oublié de l'avertir que je ne pouvais me libérer ce soir-là. Il insistait et j'ai dû lui expliquer au moins vingt fois pourquoi je ne pouvais pas et à quel point j'étais désolé de lui avoir posé un lapin. Je lui ai répété que j'étais pris et qu'il n'y avait rien à faire. J'ai essayé de le convaincre de remettre notre partie à un autre jour. Finalement, un peu excédé, je lui ai dit qu'il trouverait sûrement un autre partenaire de jeu et qu'avec un peu de chance il réussirait à le battre. Un peu déçu, il m'a alors demandé s'il pouvait venir me voir et je lui ai répondu que je n'avais pas le temps ; de toute manière, la propriétaire de la maison ne voulait pas que je reçoive de visite chez elle.

J'ai raccroché le téléphone en me demandant si j'avais bien fait, si c'était une bonne chose de m'éreinter à repeindre un salon pour quelques dollars d'argent de poche, alors que mes copains passaient leur temps à s'amuser. À ce moment-là, pendant une seconde et demie, j'ai envié les riches, comme cela m'arrivait presque chaque fois que je voyais Philippe s'acheter tous les disques qu'il voulait avec l'argent de poche que lui donnaient ses parents. Moi, je devais choisir judicieusement, à cause du peu de sous que je gagnais. La différence profonde entre lui et moi, chez le disquaire, c'est qu'il choisissait les titres qu'il prendrait, pendant que je décidais de ceux que je ne prendrais pas. Mais ma fierté de travailler et d'avoir des responsabilités a vite repris le dessus... et moi le rouleau à peinture ! Je m'encourageai en pensant que, même si Philippe et moi écoutions la même musique, la mienne avait plus de valeur : il n'avait qu'à tendre la main alors que je devais la gagner.

J'étais absorbé dans mes pensées et concentré sur le rouleau depuis un bon moment sans avoir vu le temps passer, quand j'ai entendu madame Cliquot dire que je travaillais bien et que j'étais un bon garçon. Elle était montée au salon et je ne l'avais pas entendue ouvrir la porte. Il était déjà neuf heures, et c'était l'heure où elle se couchait. Elle avait l'air un peu ennuyée, mais comprenant son malaise, je l'ai rassurée en lui disant que, si ça ne la dérangeait pas que je reste à peindre pendant qu'elle dormait, je lui promettais de tout terminer et de m'en aller après sans faire de bruit, en fermant bien la porte à clé. J'ai vu tout de suite que c'était exactement ce qu'elle n'osait pas me demander. Elle a répété que j'étais un bon garçon et qu'elle avait de la chance de m'avoir. Elle a ajouté qu'elle ne comprenait pas les jeunes d'aujourd'hui et que ses genoux lui faisaient mal. Je lui ai souhaité bonne nuit et lui ai proposé mon aide pour monter au deuxième. Elle a refusé dans un soupir plaintif, juste assez long pour qu'elle y glisse deux autres « bon garçon ».

J'ai pris mon courage à deux mains et, armé de mon rouleau à peinture, j'ai vaillamment attaqué le dernier mur. J'avoue que j'ai ressenti beaucoup de fierté pour la confiance que cette dame avait en moi et je me suis même aperçu que je m'appliquais encore plus pour qu'elle ne soit pas déçue. J'ai surtout fait attention de faire le moins de bruit possible, ce qui rendait le travail encore plus ardu.

Il était à peu près dix heures moins le quart quand j'ai terminé le dernier mur et, avant d'entamer la dernière couche au pinceau à découpage, j'ai décidé de descendre à la cuisine pour manger le sandwich que j'avais apporté avec moi et qui m'attendait dans le réfrigérateur.

Je n'oublierai jamais la légèreté du silence qui régnait dans la maison. En sortant du salon, j'ai tourné à droite en direction du grand escalier et j'ai failli sursauter en croyant apercevoir quelqu'un du coin de l'œil, mais ce n'était que mon reflet dans le grand miroir suspendu au mur à gauche de la porte du petit salon. Je m'étais toujours demandé ce que ce miroir faisait là, exhibé comme une œuvre d'art. C'était peut-être une pièce rare ou ancienne, ou les deux. Ayant retrouvé mes esprits, j'ai fait une grimace à la glace et j'ai repris mon chemin. Tout ce que j'entendais était la lourde horloge « grand-père » qui marquait tranquillement le temps, en bas. On aurait dit que ce battement tenait tout en place, que tout y était suspendu. Je sentais que si je ne voulais pas faire de bruit, c'était moins pour ne pas troubler le sommeil de madame Cliquot que pour préserver cette paix rassurante qui m'enveloppait. Je m'aperçus au même moment que j'avais retenu ma respiration depuis un certain temps, comme par une espèce de timidité dont j'ignorais la cause. La grandeur de la maison et son silence m'impressionnaient. En regardant l'escalier qui menait en bas, j'ai compris que ce moment de rêverie était terminé et que je devais le descendre sans en faire grincer les planches. Je suis descendu sur la pointe des pieds, au sens propre comme au figuré. Une marche, deux marches, trois, quatre, tout allait bien, cinq, six... J'ai eu à peine le temps de me dire que ce vieil escalier avait été bien construit quand la septième marche a produit un puissant claquement sous le poids de mon pied. Paralysé par le bruit, j'ai retenu mon souffle encore une fois et tenté de détecter un mouvement quelconque, deux étages plus haut, dans la chambre de la dame. Je me suis dit au même instant que je devais avoir l'air plutôt idiot, un pied sur une marche et l'autre dans les airs, les mains agrippées à la rampe, les deux yeux grands ouverts à me demander quand j'oserais recommencer à respirer. J'ai donc décidé qu'il était tout à fait normal que je fasse un peu de bruit, et que la meilleure façon d'en faire le moins possible était, peut-être, de ne pas m'en soucier.

J'étais arrivé à la moitié de l'escalier et me disposais à me rendre au réfrigérateur, sans excès de prudence. À peine avais-je posé mon pied sur la huitième marche que j'ai entendu frapper lourdement à la porte d'entrée.

Je ne me souviens de rien d'autre. Tout ce que je sais, c'est que je me suis réveillé beaucoup plus tard, dans la nuit, que j'étais étendu au pied du grand escalier et que j'avais un pistolet dans la main droite. En me relevant, j'ai ressenti le pire mal de tête de toute ma vie et j'ai découvert madame Cliquot, couchée sur le parquet en haut des marches. Je me souviens d'avoir monté l'escalier à toute vitesse pour voir ce qu'elle avait. J'ai vu une grosse tache de sang sur sa robe de chambre à l'endroit de la poitrine. Je me souviens qu'elle ne respirait plus et je me souviens d'avoir paniqué.

Ensuite, les choses se sont précipitées. En marchant dans les rues, j'ai attendu que le soleil se lève et qu'il soit assez tard pour déranger les gens. J'ai été voir l'oncle Marcel pour lui emprunter de l'argent, en sachant qu'il comprendrait et qu'il m'aiderait. Je lui ai seulement dit que j'étais dans une très mauvaise passe et qu'il valait mieux pour tout le monde que je parte en voyage quelque temps. Je ne lui ai donné aucun détail et il a vite compris que ça ne servirait à rien de me poser des questions. Je t'en prie, ne va pas l'embêter, il ne sait ni ce que j'ai fait ni où je suis.

Voilà, tu en sais autant que moi. Je me demande si ce qui s'est passé a été rapporté dans les journaux. As-tu vu quelque chose ? Connaîtrais-tu peut-être déjà des détails que j'ignore ? Si oui, dis-moi ce que tu auras appris, ça m'aidera à y voir plus clair. Même ici, même si loin, j'ai peur et je sens qu'en fait j'ai surtout peur de ce que je ne sais pas.

Allez, je m'arrête ici pour te laisser digérer tout ça. Je te demande pardon de faire tant de mystères, mais tu comprendras que j'y suis obligé. Je veux quand même te dire que tu me manques et que je pense souvent à toi.

Je vois que tante Maude ne sait pas encore que j'ai disparu. Je crois qu'il vaudrait mieux que ça reste comme ça, pour l'instant en tout cas.

Est-ce que ça marche pour toi à l'école ? Si tu en as le temps, raconte-moi ce qui se passe.

Je t'embrasse,

Éric

P.-S. : Ne te fie surtout pas au timbre-poste de l'enveloppe pour savoir où je me cache. J'ai remis cette lettre à un voyageur, qui l'a envoyée de son propre pays. Tu vois, j'ai tout prévu.

Mercredi, 18 mars

Cher Éric,

Je viens de recevoir ta lettre. Les mots ont défilé devant mes yeux comme un cauchemar. Je les lis, les relis et n'arrive pas à croire ce qui est écrit. Ce n'est pas vrai, c'est impossible ! Tu ne peux pas avoir fait ça, pas toi, pas mon grand frère. Non, c'est trop affreux. Ceux qui tuent sont des monstres... Tu n'es pas un monstre !

J'ai peur de tous ces mots que j'ai lus, ils me font froid dans la tête. Et l'image de cette femme étendue par terre, avec ce sang sur elle, me donne envie de crier. Je voudrais sortir de ce cauchemar... Je voudrais me réveiller et te voir. Dis-moi où tu te caches. Je ne le dirai pas, promis. J'ai toujours tenu mes promesses, tu le sais. JE VEUX TE VOIR ! Dis-moi où tu es, je t'en supplie.

Quand maman est morte et que papa nous a laissés chez tante Maude, au moins on était ensemble tous les deux, même si après tu es allé habiter avec tes copains, on pouvait quand même se téléphoner et se voir... Mais maintenant, avec papa qui ne vient jamais à Montréal et toi qui n'es plus là, je me sens vraiment toute seule... Oui, je sais, il y a tante Maude, mais ce n'est pas pareil... En plus, papa avait promis qu'il viendrait me voir un peu après Noël, et il n'est jamais venu. C'est comme le voyage qu'on devait faire tous les trois l'été dernier, et qu'on n'a jamais fait... Des fois, je me dis qu'il nous fait des promesses juste pour nous faire plaisir... et après il les oublie.

Tu sais, j'avais mis de l'argent de côté pour m'acheter une bicyclette. J'ai compté et j'ai ce qu'il faut pour aller à New York en autobus. Alors je suis sûre que j'en ai assez pour venir te rejoindre. J'ai même pensé à un plan pour pouvoir m'en aller sans le dire à tante Maude. Elle n'en saura rien, je te le jure. Allez, Éric, fais-moi confiance! Ce n'est pas parce que je suis ta petite sœur que je ne peux pas me débrouiller. Donne-moi ton adresse, je te promets que je ne la donnerai à personne. Je l'apprendrai par cœur et je brûlerai la lettre. Ou, si tu préfères, je la découperai en petits morceaux et la mettrai dans la litière de Noisette. Personne n'ira chercher dans la litière du chat, tu ne crois pas ?

Oh oui, je voulais te dire aussi : tu sais, l'autre fois, quand je suis allée porter ma lettre à l'agence de voyages, eh bien, le Rémy en question n'était pas là. Comme je ne savais pas si la fille qui était au comptoir était au courant pour les lettres, je suis ressortie sans rien dire, mais j'étais hyper-mal. Je ne savais plus quoi faire. J'avais peur qu'elle me pose un tas de questions si j'y retournais, et je ne voulais pas éveiller de soupçons.

Mais je voulais laisser ma lettre pour que tu puisses la recevoir au plus vite, alors j'ai décidé d'attendre, au cas où ce Rémy reviendrait, et je suis allée m'asseoir au petit café qui se trouve juste à côté pour voir les gens qui entraient à l'agence. Ça fait bizarre d'attendre quelqu'un qu'on ne connaît pas, je veux dire d'attendre un nom. C'est vrai, je connaissais seulement son prénom et je ne savais pas quelle tête mettre dessus. Mais j'attendais quand même.

Ça faisait bien quatre minutes que j'étais dans ce café, quand le serveur est venu prendre ma commande. Je ne savais pas quoi prendre parce que je n'avais aucune idée de l'argent qu'il me restait. J'ai donc compté mes sous et lui, il restait planté là, devant moi. Ça m'énervait qu'il soit là à me regarder, alors je lui ai commandé un café. Pourtant je n'aime pas le café, mais c'est sorti machinalement. Quand il me l'a apporté, j'en ai quand même bu une gorgée. Beurk, c'était vraiment dégueulasse !

J'attendais donc sans trop savoir quoi faire quand un homme est sorti de l'agence. Je ne l'avais pas vu entrer. Il était sûrement arrivé pendant que je comptais mon argent. C'était un homme assez grand, plus grand que la moyenne, avec de petites lunettes rondes sur le bout du nez. Quand je l'ai vu fermer la porte et tourner la clé dans la serrure, je me suis dit qu'il travaillait pour l'agence et qu'il y avait donc des chances que ce soit notre Rémy. Je me suis alors précipitée vers lui et lui ai demandé : « Est-ce que vous êtes Rémy ? »

L'homme a hoché la tête, mais son mouvement était à peine perceptible et il était difficile de savoir s'il s'agissait d'un oui ou d'un non. J'ai quand même pris le risque : je lui ai tendu la lettre. Et voilà qu'en moins d'une seconde il s'est emparé de l'enveloppe et l'a mise dans sa poche. Puis il a regardé autour de lui et il a filé sans dire un mot.

Maintenant que tu as reçu ma lettre, me voilà rassurée. Je ne m'étais pas trompée, ouf !... Ce sera plus facile cette fois-ci. Aussi je n'aurai pas à traîner dans ce café et c'est tant mieux.

Je t'embrasse très fort. Écris-moi vite !

Ta Pascalou

Dimanche, 12 avril

Pascalou,

J'ai reçu ta lettre avant-hier et cela m'a fait beaucoup de bien. Je suis désolé des difficultés que tu as eues pour contacter Rémy. Je pensais que ça serait plus facile. Alors comme ça, tu t'es mise au café ? Elle est bien bonne, celle-là ! Tu verras, on finit par s'y faire.

Tu ne me dis pas si on parle de mon histoire dans le journal. As-tu vu ou entendu quelque chose ? Je n'aurais jamais pensé que l'exil était une situation si triste à vivre. Même si je vis dans la peur, je suis bien où je suis, j'ai rencontré des gens et habite dans la maison d'une famille qui m'a plus ou moins adopté. J'apprends lentement la langue du pays et les journées se déroulent assez bien. Mais je ne suis pas chez moi. Tu me manques, tout ce qui était ma vie avant me manque. Je pense souvent à tante Maude qui avait ce don de nous sortir ces phrases que l'on ne comprenait pas trop, mais qui avaient une consonance si intelligente. C'est d'elle que j'avais entendu : « Ce n'est que lorsque nous sommes séparés de ce que nous avons que nous nous apercevons à quel point cela comptait dans notre vie. » C'est tellement vrai ! J'ai chaque fois un peu plus mal quand je pense que l'on ne se reverra peut-être jamais. Cette pensée tourne souvent dans ma tête et parfois, tout s'embrouille et je dois me forcer à penser à autre chose pour garder les idées claire et ne pas sombrer dans la mélancolie.

Je ne te dirai pas où je suis. Je sais que tu tiens toujours tes promesses. Tu es la personne en qui j'ai le plus confiance au monde, mais on ne peut pas prendre le risque d'en dire trop. Il se pourrait que la police intercepte le courrier ou même te surveille. J'ai peut-être vu trop de films, mais tout ça est trop grave pour risquer la moindre imprudence. Je ne veux pas aller en prison, ça me fait trop peur.

Je ne veux pas non plus que tu dépenses l'argent de ta bicyclette pour tenter de me voir. De toute façon, nous ne pourrons jamais nous rejoindre par New York. Je ne rentrerai pas dans les détails mais, pour certaines raisons, cela est tout à fait impossible. Et puis quoi que tu en dises, je crois qu'il faut aussi penser à tante Maude. La pauvre, elle s'est retrouvée avec nous à la mort de maman, et je suis sûr que nous ne sommes pas un cadeau tous les jours ! Je ne sais pas comment tu lui as expliqué mon absence, mais j'imagine qu'elle doit s'arracher les cheveux d'inquiétude. Je crois que la meilleure chose serait que tu lui fasses lire mes lettres et qu'elle en sache autant que toi. Ce ne sera peut-être pas facile, mais je ne vois pas d'autre solution et je ne crois pas que lui mentir soit une bonne chose. Ça risque uniquement de compliquer ta vie et de tout rendre plus difficile encore. Quoi qu'il en soit, je te laisse juge de la situation. Fais ce qui te paraît la meilleure chose.

J'ai fait un cauchemar la nuit dernière. J'ai rêvé à ce qui est arrivé, mais en revoyant tout ce que j'avais fait. Je me suis vu tuer, c'était au ralenti. Je ne voulais pas, ce n'était pas moi, j'étais comme téléguidé. Je me suis réveillé en sursaut, je tremblais et je me serais cru dans une prison. J'ai eu tellement peur ! En fait, des cauchemars comme ça, j'en ai presque toutes les nuits. Je voudrais juste pouvoir oublier tout ce que je ne sais pas.

Je me suis fait un bon copain ici. Il s'appelle Juanchi. C'est drôle, son père est policier comme le père de Philippe. Enfin, pas tout à fait parce que monsieur Lavallée est quand même le chef de la police municipale. Juanchi est chanteur dans un groupe qui fait de l'animation dans les hôtels du coin. J'ai vu plusieurs fois leur spectacle et c'est vraiment très bon. Je pense que tu aimerais cette musique et surtout la danse qui va avec. Juanchi essaie de m'en montrer les pas et je m'imagine des fois en train de danser avec toi. J'espère pouvoir le faire un jour, même si je crois que l'on ne se reverra jamais ; je ne sais pas ce que l'avenir nous réserve. Pascale, m'accorderas-tu cette danse ?

Je découvre plein de choses dans ce pays. C'est très intéressant. On entend souvent dire que les voyages forment la jeunesse, eh bien, c'est vrai ! Ces découvertes me permettent d'évacuer les idées noires qui me tourmentent. Ce qui me déprime le plus, c'est d'être si seul, de ne pas pouvoir partager ce plaisir que j'ai d'apprendre de nouvelles choses. Je sais maintenant que ce plaisir ne réside pas dans l'accumulation des connaissances, mais dans la joie de les partager et de les transmettre. Dans une prochaine lettre, je t'en parlerai peut-être de façon plus approfondie, mais je dois terminer celle-là maintenant parce que Juanchi m'attend. C'est son jour de congé aujourd'hui et il veut me faire découvrir la ville.

Écris-moi, ça compte beaucoup. Ne sois pas inquiète, car je vais bien. Je t'embrasse et pense à toi.

Éric

Le 22 avril

Éric, Éric, Éric,

Un tas de choses se promènent dans ma tête. Je n'ai pas besoin de fermer les yeux pour voir toutes les images de ce qui s'est passé rue des Embuscades. J'ai relu ta deuxième lettre plusieurs fois. Et à chaque phrase, je t'entends, je te vois. J'imagine la scène du début à la fin. Enfin, j'imagine un peu et puis le rideau tombe et c'est le trou noir, le trou de la balle sur la robe de chambre de la dame Cliquot et ce sang que je ne veux pas voir. Je ne cesse alors de me répéter : « Mon frère n'est pas un tueur. Mon frère n'est pas un tueur... » Comme un clou que l'on frappe avec un marteau, j'enfonce ces mots dans ma tête, encore et encore pour être bien sûre qu'ils n'en ressortiront pas, car je sais que tu n'es pas un meurtrier. Je le sais au fond de moi... Non, mon frère n'est pas un tueur.

Mais cette histoire de meurtre ne me quitte plus. J'en rêve même la nuit. Hier, j'ai fait un cauchemar : c'était le soir, j'attendais l'autobus et soudain, une vieille dame est apparue, elle m'a regardée dans les yeux puis elle s'est mise à danser et à chanter. Elle chantait : « C'est ton frère qui m'a tuée, c'est ton frère, c'est ton frère... » Et quand elle chantait, du sang coulait de sa bouche. Il y en avait partout, partout sur elle...

Quand je me suis réveillée, mon cœur battait si fort qu'on aurait dit qu'il résonnait dans toute la maison...

Cette histoire me hante, j'essaie de comprendre...

Tu sais, j'ai épluché tous les journaux qui traînaient à la maison, aucun article ne parlait de la mort de la vieille dame. Je suis même allée à la bibliothèque pour fouiller dans les journaux du mois de février. Je n'ai rien trouvé non plus... Je ne sais pas si j'ai bien cherché, j'avais tellement peur de lire ton nom en grosses lettres, ou même de voir ta photo, où il serait inscrit au-dessous : « Recherché pour meurtre... »

Éric, je t'en supplie, essaie de te rappeler ce qui s'est passé. Peut-être qu'il y avait quelqu'un d'autre dans la maison, un voleur, je ne sais pas... Tu as sans doute voulu te défendre. Légitime défense, c'est bien ce qu'on dit dans ces cas-là, j'ai déjà entendu ça à la télévision.

Pour tenir un pistolet dans tes mains, c'est que tu devais être en danger. Tu ne voulais pas tuer, pas toi. Si tu as appuyé sur la gâchette, c'est que tu n'avais pas le choix. Tu as tiré, la balle est partie et celle que tu voulais protéger est devenue ta cible. Ce n'est pas de ta faute. C'est un accident, une malchance.

Tu m'as dit que tu avais eu très mal à la tête. Es-tu blessé ? J'espère que tu ne me caches rien. Promets-moi de me dire la vérité. Tu peux tout me dire, tu sais, je suis peut-être ta petite sœur, mais je ne suis plus toute petite, petite.

Au fond de moi, je sais que tu n'es pas coupable, mais si tout indiquait le contraire, qu'est-ce qu'on ferait ?

Je ne veux pas que tu ailles en prison. Jamais. Je ne peux pas t'imaginer dans une petite cellule, à compter les jours, à espérer que les semaines deviennent au plus vite des mois, puis des années. Je ne te veux pas enfermé à quelques rues de chez tante Maude. J'aime encore mieux te savoir loin de moi, j'aime encore mieux qu'un océan nous sépare et te savoir libre.

Je n'arrive pas à croire que je ne te reverrai pas. C'est impossible ! Beaucoup de gens se sont sortis de situations terribles pendant toutes ces guerres dont on parle aux nouvelles. Alors pourquoi on ne pourrait pas se retrouver, toi et moi, quelque part dans le monde, ne serait-ce qu'une heure ? J'y crois. Dis-moi que tu y crois aussi.

Pour ce qui est de tante Maude, si ton absence dure trop longtemps, elle finira par prendre le téléphone pour essayer de te rejoindre et de te convaincre de venir manger à la maison. Mentir n'est pas une solution, mais je ne sais pas pourquoi, je n'arrive pas à me décider à lui parler, ni à lui montrer tes lettres. Il faut dire que cela fait des semaines que je lui mens et je t'avoue que j'ai un peu honte. Plus les jours passent, moins j'ai la force de parler... mais j'y arriverai.

Je suis contente que tu te sois fait un ami et qu'une famille t'ait accueilli.

Ça me rassure de ne pas te savoir tout seul. Ton ami t'apprend une danse de son pays, ouaou ! Génial ! Bien sûr que j'aimerais danser avec toi. Mais je ne suis pas très douée : nous allons encore piquer un fou rire et tu ne réussiras pas à m'apprendre quoi que ce soit, comme d'habitude...

Pour revenir à ton ami Juanchi, une chose m'inquiète, c'est que son père soit policier. J'espère qu'il ne lui viendra pas à l'idée de se renseigner sur toi et qu'un jour il ne te coincera pas comme ça, sans prévenir. Moi aussi, j'ai sans doute vu trop de films, mais je pense qu'il faut que tu sois prudent...

De mon côté, je peux t'assurer que tes lettres sont en sécurité. Je les ai cachées dans mon classeur de maths. Personne n'ira voler mon classeur, c'est sûr ! les maths, c'est assez ennuyeux, beurk !

Pour ce qui est de l'école, pas de changement. Tout est pareil. Par contre, j'ai parfois du mal à faire mes travaux. Faut dire qu'à la maison, ce n'est pas toujours très calme. Surtout depuis que tante Maude a décidé de prendre trois autres petits. En plus, trois enfants restent jusqu'à six heures, quand ce n'est pas six heures et demie ! Ils ne sont pas nombreux, et pourtant ils font un de ces bruits ! Il y a des jours où ce n'est pas facile de se concentrer, crois-moi. Surtout quand ils se mettent à chanter à tue-tête : « À la garderie comme à la maison, c'est avec plaisir que nous rangeons ! »

Tu parles, ils ne rangent rien ! C'est vrai, il ne se passe pas un jour où je ne marche pas sur un jouet. Enfin, ils sont quand même mignons... Surtout Magalie, avec ses grands yeux noirs et ses cheveux bouclés. Quand elle parle, on dirait Mickey Mouse. Elle est drôle, elle te ferait rigoler.

Il y a aussi le p'tit Pierre. Son vrai nom, c'est Pietro, il est italien. Sa mère aimerait bien qu'il parle français, mais il ne veut rien savoir. Tante Maude a beau essayer de lui apprendre quelques mots, il s'en fiche complètement. Sa mère commence à ne plus le trouver drôle. Quand elle vient le chercher, je l'entends qui s'impatiente. « *Testa dura, testa dura !* » Voilà ce qu'elle lui répète à son Pietro, juste avant de s'en aller. C'est vrai qu'il a la tête dure. Pourtant, sa tête est toute ronde comme un ballon...

L'autre nouveau s'appelle Simon. Ce n'est pas le plus petit, mais il fait souvent pipi dans son pantalon. Il ne dit rien et quand il se lève, il y a une grosse trace sur le tapis. Si les autres font trop de bêtises, je les surveille le temps que tante Maude aille le changer. Alors, comme tu peux voir, ce n'est pas toujours facile de faire ses devoirs.

Mais il faut quand même que je dise la vérité : ce n'est pas souvent que tante Maude me demande de l'aider. Non, au contraire, elle me laisse tranquille, elle préfère que j'étudie.

Voilà donc ce qui se passe ici... On va se revoir ? Dis-moi qu'on va se revoir, tu me manques tellement ! En attendant, je t'embrasse et je te serre très fort.

Ta petite sœur, Pascale

Jeudi, 7 mai

Mon irremplaçable petite sœur,

Comme il est bon d'avoir de tes nouvelles ! J'ai l'impression que tu es le seul contact que j'aie avec le reste du monde. Le village où j'habite ressemble un peu à ce qu'on pourrait appeler le bout du monde, et quand j'ai des nouvelles de l'autre bout, celui d'où je viens, ça me rassure et me donne du courage. Dimanche, ce sera la fête des mères et ça me rend un peu triste...

La région est un site touristique qui attire des voyageurs de plein de pays et un des passe-temps favoris des jeunes du coin est d'aller traîner à l'aéroport de la ville voisine pour regarder les avions et les touristes. Ceux qui arrivent, tout blancs et tout éblouis, et ceux qui repartent, tout rouges et l'air triste. Une seule chose semble les unir : ils sont à peu près tous aussi saouls à l'arrivée qu'au départ.

Et puis, on regarde les avions. Ceux qui atterrissent et ceux qui décollent, surtout. Ici, on dirait que tout le monde veut s'en aller. Juanchi me dit souvent : « Un jour, je m'en irai, c'est bien mieux ailleurs. » Je ne comprends pas pourquoi il dit ça ; moi, je trouve ce pays très attirant. En tout cas, il y fait beau et chaud et les gens sont simples et généralement gentils. Bien sûr, la population n'est pas riche et les préoccupations principales ne sont pas les mêmes que chez nous. Ici, quand on se lève le matin, on ne s'inquiète pas de savoir ce que sera son avenir, ou de ce qu'on fera à la retraite. On se demande plutôt comment on mangera le soir et le lendemain. Ça peut avoir l'air exagéré, mais c'est pourtant vrai. Moi, je trouve que ça rend les choses plus simples. Passer sa vie à préparer son avenir est une bonne chose, mais pendant ce temps-là, le présent nous passe sous le nez et, d'une certaine façon, on doit y perdre un peu au change.

En fait, je pense que si les gens ont généralement envie de partir, c'est parce que ce pays est une île. Quand on vit dans une île, on est forcément fasciné par ce qu'il peut y avoir de l'autre côté de la mer. Une île, c'est un peu comme une prison dont l'océan serait le mur.

Tu me demandes si on se reverra un jour. C'est le sujet auquel j'évite le plus de penser. C'est très difficile. Moi non plus, je n'arrive pas à croire que je ne te reverrai plus jamais, mais cette situation semble tellement sans issue ! Dans ma tête, je me dis que je ne pourrai plus jamais revenir en arrière, et dans mon ventre je sens que l'on se retrouvera un jour. Je suis donc un peu perdu dans tout ça et j'essaie tout simplement de ne pas y penser.

Ici, personne ne sait la véritable raison de mon voyage. Je raconte à tous la même histoire : je suis étudiant et j'ai pris une année sabbatique pour découvrir le monde avant de m'enfermer dans les bouquins. Cela ne semble pas surprendre et ça m'aide aussi à ne pas être trop confronté à la réalité affreuse de ma situation. Autrement dit, je m'invente tranquillement une vie à laquelle j'arrive presque à croire. Je ne sais pas si c'est une bonne chose, mais pour l'instant, c'est ce qui me permet de faire face au monde sans rester recroquevillé dans l'ombre, immobilisé par la peur. L'exil enlève les dangers, mais pas la peur. Tout ceci me paraît parfois bien ridicule. Je ne suis même pas sûr de ce que j'ai pu faire et pourtant je suis perpétuellement tourmenté par cette peur profonde qui s'empare de moi alors que je ne fais face actuellement à aucun danger réel. La peur est une sensation que l'on se crée et que l'on cultive malgré soi, indépendamment de sa pertinence. Si seulement on pouvait s'en débarrasser aussi facilement qu'on la laisse s'emparer de nous !...

Tu m'as bien fait rire avec ton histoire de classeur de maths, mais je préférerais vraiment que tu détruises ces lettres. Je ne peux évidemment pas te forcer à le faire, mais je ne voudrais pas que quelqu'un tombe sur ce courrier. Et on ne sait jamais : quoi qu'on en pense, il existe sur cette planète des gens qui aiment les maths !

Moi aussi, je revis les événements de cette soirée du mercredi presque toutes les nuits, mais plus le temps avance, plus les détails m'échappent. Plus j'y pense et moins je m'en souviens... J'imagine que c'est normal, puisque je veux tellement oublier cette nuit dont je ne sais en fait pas grand-chose. Tu parles de légitime défense et j'en frissonne, cela donne une allure judiciaire à toute cette situation et c'est justement ce que je crains le plus, la justice. Je ne sais pas ce que j'ai fait, mais si j'ai tiré un coup de pistolet, ce qui me semble complètement ahurissant, c'était forcément pour me défendre. Mais de quoi, de qui et pourquoi ? Et d'où aurais-je sorti cette arme ? Je n'ai jamais tenu un pistolet dans mes mains de toute ma vie. Vraiment, je n'y comprends rien. Quand je me suis réveillé, il n'y avait que madame Cliquot, morte à l'étage, et ce mal de tête affreux qui a pris plusieurs jours à passer. Je ne te cache rien, petite sœur, rien du tout. Ma santé est très bonne et je me sens très bien, sauf lors de ces moments où l'angoisse reprend le dessus et me ramène à une réalité que je cherche à fuir.

Tu sembles avoir monté une histoire assez solide pour que tante Maude ne s'inquiète pas et j'imagine que c'est pour le mieux. Tôt ou tard, il nous faudra cependant un adulte dans notre camp et tante Maude serait peut-être la mieux placée. Comme je te l'ai déjà dit, si ça tourne mal, le mieux serait de tout lui expliquer en espérant qu'elle comprenne, ce dont je ne doute pas. Souhaitons seulement qu'elle ne panique pas.

On dirait qu'elle a décidé de transformer son petit service de garderie en une vraie colonie de vacances ! Pauvre toi ! Ça ne doit vraiment pas toujours être facile. Je sais que tu es tolérante et surtout très patiente, mais quand même, il y a des fois où tu dois avoir envie de t'arracher les cheveux ! Ici, il y a des enfants partout ; il n'est pas toujours facile de savoir exactement à qui ils sont, car tout le monde leur témoigne beaucoup d'affection. Les tout-petits sont vraiment aimés, choyés et protégés ici, d'une façon tout à fait naturelle. C'est très beau à voir. Les gens semblent avoir un très grand respect pour les enfants et pour les personnes âgées. Comme je te le disais, les gens d'ici sont préoccupés principalement par le présent, mais on peut reconnaître leur espoir en l'avenir dans l'amour qu'ils portent aux enfants, et leur attachement au passé dans le respect qu'ils ont envers les personnes âgées.

Voilà, c'est tout pour l'instant. Merci encore de ta lettre et de ta confiance. Je ne sais pas si on se reverra, mais j'y crois malgré tout. Je pense à toi tous les jours et c'est ce qui m'aide à tenir le coup. Porte-toi bien, travaille fort à l'école et sois prudente !

Mille bisous !

Éric

Mardi midi

Éric,

Il faut que je te dise... j'ai décidé de retourner chez toi pour parler à Philippe. J'ai pensé que si tu ne te rappelais pas tout à fait ce qui s'était passé ce terrible mercredi, Philippe était quand même la dernière personne à qui tu avais parlé. Il saurait peut-être quelque chose.

Je me suis donc rendue à votre appartement dès le lendemain, en sortant de l'école. J'ai eu la chance (enfin, si on peut appeler ça une chance...) de tomber sur lui alors qu'il descendait l'escalier. Tu aurais vu sa tête, quand il m'a vue, on aurait dit que j'étais une apparition... Il s'est arrêté tout net, puis il m'a dit d'un ton glacial : « Qu'est-ce que tu fous là ? » Mais il n'attendait pas de réponse, car je n'ai pas eu le temps d'ouvrir la bouche qu'il s'est mis à gueuler : « Fous le camp ! T'as rien à faire ici ! »

Comme je ne bougeais pas, il a commencé à s'énerver. Il a pris mon bras puis il m'a poussée contre le mur en serrant les dents. « Allez, dégage, j'te dis ! T'as rien à faire ici. Surtout pas toi, si tu vois ce que je veux dire... À moins que tu aies besoin que je t'explique ! »

Tu comprends que je n'ai pu que faire demi-tour. Je ne l'aime pas, ton Philippe, et je me dis que s'il agit comme ça, c'est qu'il a quelque chose à se reprocher. C'est vrai, je ne lui ai rien fait, en plus, je n'ai même pas eu le temps de placer un mot. Quand j'y repense, j'en ai froid dans le dos !...

En ce moment je suis à l'école, je t'écris de la cafétéria. J'irai porter cette lettre sitôt mes cours terminés. J'espère ne pas avoir à attendre l'autobus trop longtemps, parce que des fois, je te jure, ce n'est pas rigolo...

C'est drôle, je te parle de la ville, de l'heure de pointe et toi, tu es quelque part, devant la mer. J'ai du mal à imaginer qu'on soit sur une île, entouré de palmiers, de sable chaud et que l'on veuille partir comme ton ami Juanchi. Je n'arrive pas à croire que l'on puisse rêver de béton et de pollution, alors que les rayons du soleil caressent votre peau et que vous avez du matin jusqu'au soir pour seule mélodie le chant des oiseaux et le roulis des vagues. On rêve sûrement toujours d'un ailleurs, de quelque chose de différent...

Suite : mardi soir

J'ai dû interrompre ma lettre parce que mes amis sont venus me chercher pour jouer avec eux au *yaki*. J'ai accepté tout de suite, même si je n'aime pas trop ce jeu, mais je ne voulais pas qu'ils me posent des questions sur ce que j'écrivais. De toute façon, je finis souvent mes devoirs à la cafétéria, alors ils ne se sont doutés de rien... Je posterai donc cette lettre demain.

Quand je suis arrivée à la maison, une carte de papa m'attendait. Comme tu sais, il écrit peu et je ne le vois presque jamais. Les rares fois où il vient à Montréal, c'est seulement pour deux jours : il m'invite alors chez oncle Marcel et nous mangeons tous les trois. Mais ces soirées sont toujours un peu tristes, car papa finit toujours par reparler de l'accident, de la mort de maman. Il jure contre ce camion qui filait à toute allure, il maudit encore et encore le camionneur et la chaussée glissante. Puis vient le moment de partir. Papa me raccompagne chez tante Maude ; pendant le trajet, il me parle de la maison que nous aurons quand il reviendra. Il me raconte toutes ces choses que nous ferons ensemble. Je l'écoute et rêve avec lui. Puis il faut se quitter. Juste avant d'ouvrir la portière, je lui fais un dernier baiser tout tendre. Il me serre alors dans ses bras et, en prenant sa voix de monsieur sérieux, pour me secouer un peu, il me répète deux ou trois fois : « Ça va aller... ça va aller... »

Et moi, je reste là, sans rien dire, ma tête au creux de son épaule et je ferme les yeux. Il me chuchote alors des mots à l'oreille, des mots que je laisse courir dans ma tête et que je cache ensuite au fond de mon cœur : « Je t'aime, ma Pascalinette... », voilà ce qu'il me dit. Puis il ajoute de sa voix la plus douce : « Nous serons ensemble à Noël, promis. » Je me décide enfin à le laisser partir, et pendant que je regarde la voiture s'engouffrer dans la nuit, je commence à compter les mois qui me séparent de lui : mai, juin, juillet, août... et ce mois de décembre qui ne vient pas ! Septembre, octobre, novembre, décembre... C'est interminable, et cela me paraît encore plus long depuis que tu n'es plus là. Quelquefois, j'en viens même à penser que ce Noël n'existe pas, qu'il a été rayé du calendrier depuis longtemps déjà.

Je suis bien chez tante Maude, je m'y plais, je t'assure, mais vous me manquez... Avec l'absence de papa et maman, il s'était créé en moi un énorme vide et depuis ton départ, on dirait que ce vide est encore plus grand. J'ai dans mon cœur un espace à remplir, un espace un peu triste que je voudrais égayer de ton rire. Je ne sais pas si c'est à cause de la température ou de l'air, mais je suis un peu morose aujourd'hui.

Peut-être que j'ai peur de ne plus te revoir... Je ne devrais pas t'écrire dans ces moments-là, car tu as surtout besoin de réconfort. Excuse-moi...

Dans ta lettre, tu me dis que là où tu es, les enfants sont vraiment aimés, choyés... Ici aussi, mais pas dans toutes les familles...

Éric, j'ai quelque chose à te dire. J'aurais voulu éviter de t'en parler, mais après avoir beaucoup réfléchi, je pense que tu dois savoir. Cela risque de t'inquiéter, je le sais, mais j'ai besoin de tes conseils, car je ne voudrais surtout pas faire de bêtises.

Alors voilà : vendredi, en sortant de l'école, un homme attendait devant l'entrée principale ; il était assis dans sa voiture et guettait les gens qui sortaient. Si je l'ai remarqué, c'est parce que j'ai pensé que c'était le père de Sarah, il vient la chercher pour la conduire à son volley-ball. C'était exactement la même voiture, mais en m'approchant un peu, j'ai bien vu que ce n'était pas lui. Ce monsieur-là avait une drôle d'allure..., il avait de longs favoris gris et sur le haut de la tête quelques petits cheveux épars.

Quand mon regard a croisé le sien, il a aussitôt détourné les yeux. Il a alors saisi sa mallette, a jeté un coup d'œil à l'intérieur puis il m'a regardée de nouveau et, d'un mouvement rapide, il a démarré sa voiture et a filé à toute allure.

J'ai bien essayé de prendre le numéro de sa plaque d'immatriculation, mais tout s'est fait si vite que je n'ai pu voir que les deux premières lettres : NT.

Sur le coup, je n'ai pas eu peur, mais c'est après, quand je me suis mise à y penser. Plus j'y pensais et plus je me disais qu'il me surveillait, je suis sûre qu'il était venu pour me poser des questions, qu'il voulait savoir où tu te cachais. Je me suis dépêchée de rentrer à la maison. Je n'ai jamais marché aussi vite ! Et je t'avoue que ce n'était pas facile, car j'avais tellement peur que j'en avais les jambes toutes molles.

Je n'avais pas hâte au lundi matin, je n'avais pas envie de retourner à l'école, crois-moi... J'y suis allée quand même, mais j'ai décidé de partir avant la fin des cours pour être certaine de ne pas revoir l'homme à la voiture. Et figure-toi qu'à ma sortie il était encore là ! Quand il m'a vue, il s'est mis à marcher très vite dans ma direction puis il est passé devant moi, comme un éclair. J'ai à peine eu le temps de l'apercevoir qu'il avait disparu !

Seulement, en passant devant moi, il avait laissé tomber une enveloppe.

Intriguée, je me suis penchée pour la ramasser et j'y ai vu, inscrit noir sur blanc, mon nom en lettres moulées : Pascale. Cette enveloppe m'était donc destinée ! Sans me poser de questions, je m'en suis emparée et l'ai enfouie dans mon sac à dos. Ce n'est qu'une fois à la maison, après avoir fermé la porte de ma chambre, que je me suis décidée à l'ouvrir.

Ce que j'y ai découvert m'a coupé le souffle. Mes mains en tremblent encore tandis que je t'écris. Cette enveloppe contenait une photo, mais pas n'importe laquelle, une photo de nous deux.

Un tas de choses ont alors tourné dans ma tête, je nous voyais déjà derrière les barreaux, tous les deux réunis dans un bâtiment en pierre, sans espoir et sans vie. Tous les deux en prison. Par mon silence, je suis devenue ta complice, cette photo était là sans doute pour me le rappeler. Mais je peux te le dire aujourd'hui, pas un mot qui ne soit soigneusement choisi ne sortira de ma bouche. Rien. Je ne dirai rien. Quand je revois tes yeux, je m'en fais le serment.

Éric, j'ai quelque chose d'important à te dire, voilà : ce matin, comme je montais dans l'autobus, un homme m'a bousculée pour en sortir précipitamment juste avant la fermeture des portes. C'était lui ! Dans ce frôlement, j'ai cru sentir, sans en être pourtant sûre, une main s'attarder un instant sur la poche gauche de mon manteau. Une fois assise, même si je savais que je ne traînais sur moi ni argent ni objet de valeur, j'ai vérifié le contenu de mes poches. En plus de quelques vieux papiers de chocolat, témoins de ma gourmandise, de trombones égarés, de kleenex en charpie, j'ai trouvé une carte. Une petite carte d'affaire sur laquelle était imprimé, en caractère gras : « Peter Lamberstruck. Détective. » Et ce n'est pas tout, au verso de la carte, c'était écrit à l'encre rouge : « Appelez-moi ! », et juste au-dessous : « Je peux vous aider. »

Voilà, tout est dit ! Cette histoire prend une drôle de tournure et je ne sais plus quoi faire ! Je t'envoie sa carte, j'en ai fait une photocopie à la bibliothèque de l'école et je la garde précieusement, en attendant que tu m'indiques la marche à suivre. Éric, je suis hyper-inquiète ! Dis-moi ce que je dois faire !

Je t'embrasse très, très fort,

Pascalou

P.-S. : Pour ce qui est de tante Maude, je pense attendre un peu avant de lui parler de tout ça. Pour te dire la vérité... je ne sais pas trop comment m'y prendre ! Je lui parlerai quand je serai prête.

Le 28 mai

Chère petite sœur,

J'ai reçu ta dernière lettre vendredi dernier, mais je n'ai pas eu le temps d'y répondre avant aujourd'hui. Je peux te dire aussi que j'ai pensé ne plus écrire. En te lisant, j'ai senti la peur monter en moi, comme un monstre dans le ventre qui donne des coups pour sortir. En terminant ta lettre, j'avais les mains moites et le cœur qui battait trop fort. J'ai peur, Pascale. J'ai peur de tout et pour tout. J'ai surtout peur pour toi. Voilà pourquoi je me disais qu'en ne te donnant plus de mes nouvelles, tu serais moins en danger. Sur le coup, j'ai pensé que ce « bonhomme aux favoris » ne pouvait que nous faire du mal. Ici, je ne crains pas grand-chose, toi, au contraire, en tant que complice, comme tu dis, tu risques tout. J'ai dû relire ta lettre une bonne dizaine de fois. J'espérais que les mots changent, mais ils restaient les mêmes. Et chaque lecture semblait réveiller un peu plus le petit gnome dans mon ventre. Ça m'empêche même de dormir. Ce matin, vers sept heures, quand j'ai décidé qu'il ne servait à rien d'attendre un sommeil qui ne viendrait pas, j'ai relu cette lettre et je crois enfin que j'y vois un peu plus clair.

La carte d'affaire de ce Peter Lamberstruck ne me dit absolument rien, mais voici ce que je pense. Ce monsieur sait forcément quelque chose, car s'il t'a contactée, comme il l'a fait, ce n'est pas pour rien. S'il était contre nous, il ne t'aurait pas proposé son aide, il t'aurait arrêtée, ou un truc comme ça. Je crois qu'on pourrait lui faire confiance, de façon prudente, bien entendu, mais de la manière dont tu me décris tout ça, on dirait presque qu'il a autant besoin de nous, que nous de lui. C'est vraiment très bizarre ! Dans l'état où sont les choses, on n'aurait rien à perdre à découvrir qui il est, ce qu'il sait et ce qu'il veut. Je pense donc que tu devrais l'appeler. Joue l'innocente. Tu l'appelles parce qu'il te l'a demandé, mais tu ignores de quoi il parle. Ça le forcera à te révéler son jeu, à te dire pourquoi il t'a suivie et tu finiras par en savoir assez pour décider si tu peux te confier à lui ou non. Quoi qu'il te raconte, il ne peut pas avoir de preuve, du moins, je ne vois vraiment pas comment. Donc, si tu sens qu'il peut être dangereux, tu nies tout, tu le traites de fou et tu raccroches. Si tu crois par contre qu'il veut vraiment notre bien, ce qui serait tout aussi inexplicable, ne t'engage pas trop et ne dis que le strict minimum avant de m'en avoir reparlé.

Pour ce qui est de Philippe, quand il s'énerve, faut pas être sur son chemin, c'est vrai. Mais quand même, je ne comprends pas ce qui lui a pris de te parler comme ça.

Pauvre toi, entre les promesses de papa et moi qui suis si loin, tu dois avoir l'impression que nous te laissons tous tomber. Ce n'est pas le cas, en ce qui me concerne. Je suis peut-être loin de toi géographiquement, mais dans mon cœur, je suis toujours tout près. En ce moment même, si tu fermes les yeux, tu sentiras ma main serrer la tienne. Vas-y, ferme les yeux... Et puis ? Tu vois, je suis près de toi ! Dans la situation que nous vivons, tu as autant besoin de réconfort que moi et tu ne devrais pas t'en vouloir de partager ta morosité. Sinon, à quoi ça sert d'avoir un frère ? Même de si loin, il ne t'aime pas moins. Et je t'en supplie, ne t'excuse pas de ne pas être aussi solide qu'un roc. Tu as le droit à la tristesse, c'est tout à fait normal, tout le monde y a droit. Ce qui n'est pas bien, c'est de la cultiver et de s'y complaire. Quand on est triste ou déprimé, il faut faire tout ce qu'on peut pour reprendre le dessus, sinon la déprime nous mange et ça devient un cercle vicieux. Plus on est déprimé, moins on a la force de s'en sortir, et moins on en a la force, plus ça nous déprime...

Je pense que c'est peut-être ce que vit papa en ce moment, mais je pourrais me tromper, enfin je l'espère. Maman ne reviendra jamais, mais je suis sûr qu'elle n'aurait pas voulu qu'on la pleure jusqu'à la fin de nos propres jours. Elle sera toujours vivante dans nos cœur et c'est de cette façon que nous pourrons lui témoigner notre amour. Évidemment, c'est plus facile à dire (ou à écrire) qu'à vivre, mais cela fait peut-être partie des défis qui rendent la vie moins monotone, à défaut de la rendre plus drôle. Je t'avoue que jusqu'à aujourd'hui, j'évitais tout simplement de penser à papa et maman pour ne pas devoir affronter cette réalité, mais en lisant ta dernière lettre, j'ai pris le temps de réfléchir pour savoir où je me situais par rapport à ça. Tu trouveras peut-être ma position un peu froide, mais c'est ainsi que je vois les choses pour l'instant. Je me dis que ce que nous vivons nous arrive parce que le destin en a décidé ainsi, et qu'un jour nous comprendrons pourquoi. C'est peut-être une façon d'éviter de faire face à la réalité. Je ne le sais pas, mais cela rend celle-ci plus facile à vivre. Ce qui nous ennuie le plus, dans la vie, c'est ce qu'on n'arrive pas à comprendre... Il se peut aussi que nous ne soyons pas sur terre pour tout comprendre du premier coup. Il faut peut-être faire preuve parfois d'une confiance un peu aveugle en la vie...

Bon, allez, c'est un peu trop sérieux tout ça. Fais-moi un beau sourire, Pascale... Voilà, merci, j'ai tellement besoin que tu conserves ta joie de vivre habituelle. Tu as la force nécessaire pour traverser les épreuves que nous vivons, alors tiens bon et je tiendrai bon. Surtout : garde le sourire, ne le laisse pas s'en aller, il te va si bien.

Pascalou, ma grande petite sœur, j'ai confiance en toi et je sais que tu feras ce qu'il y a de mieux. Pour le détective, écoute surtout ton cœur, ton intuition. Si tout te paraît correct, mais qu'à l'intérieur une voix te dit : « non, non, non ! », écoute-la, tu peux lui faire confiance. Dis-toi que c'est maman qui voit tout et qui nous protège.

Je vais arrêter ici pour que tu reçoives cette lettre au plus vite. Donne-moi de tes nouvelles, j'attends, et le petit monstre que j'ai dans le ventre attend aussi ! Sois prudente et rappelle-toi à chaque instant que j'ai totalement confiance en toi. Je t'embrasse et te serre fort !

Éric

Samedi

Éric,

Ce matin je voulais détruire toutes tes lettres, les découper en petits morceaux puis les jeter dans les toilettes pour que personne ne puisse les lire. Mais je ne l'ai pas fait. Ces lettres sont de toi et je n'arrive pas à m'en séparer.

Tu sais, je ne suis plus triste, enfin je m'efforce de sourire pour le jour où tu reviendras. Je voudrais que tu me retrouves comme tu m'as laissée, la tête pleine de soleil.

Pour ce qui est des nouvelles, eh bien voilà : J'AI TÉLÉPHONÉ À MONSIEUR LAMBERSTRUCK ! Son nom n'est peut-être pas d'ici, mais il a un accent bien québécois, il roule même les « R » comme monsieur Hétu, tu sais, le marchand de journaux. Mais il faut que je te dise : j'ai raccroché trois fois avant de pouvoir lui parler. Il suffisait que j'entende sonner un coup pour avoir la peur au ventre ; la panique !

C'était comme si j'allais me jeter du haut d'une falaise, que j'allais faire un saut de Bungee sans élastique. La troisième fois, j'ai rassemblé tout mon courage mais, à la deuxième sonnerie, tante Maude est entrée dans le salon. Elle avait oublié ses clés sur la table. J'ai donc attendu de voir sa voiture passer devant la fenêtre pour recomposer une quatrième fois le numéro. Et c'était la bonne... Lamberstruck a décroché tout de suite! Mon cœur battait à cent à l'heure, je l'entendais qui résonnait dans mes oreilles : boumboum, boumboum, boumboum... Alors pour que cesse au plus vite ce tintamarre, j'ai tenté une première phrase, une phrase enveloppée de prudence. Comme tu me l'avais conseillé, j'ai joué la carte de l'innocence, mais je n'ai pas eu à jouer longtemps, car il a pris les devants en m'annonçant de but en blanc : « Votre frère n'est pas coupable. J'en ai la preuve. »

Il m'a parlé ensuite d'une caméra cachée derrière un miroir sans tain. Un miroir en haut de l'escalier, chez madame Cliquot, rue des Embuscades. Puis tous ses mots se sont embrouillés dans ma tête : « Votre frère.. la caméra... le miroir...

madame Cliquot... il portait une salopette... » Je n'entendais plus que des syllabes, des bouts de phrases qui se bousculaient les uns les autres et je ne comprenais plus rien. J'en aurais pleuré. Puis tout à coup, une phrase a retenti : « Il faut me dire où il se cache ! »

Cette phrase a résonné en moi comme un écho : « Il faut me dire où il se cache... Il faut me dire où il se cache... Il faut me dire... »

Je n'ai rien dit et le silence au bout du fil était lourd, si lourd que j'en aurais crié. Ensuite il a demandé à me rencontrer, il avait des choses à m'expliquer... Comme je ne parlais toujours pas, il m'a répété que tu n'étais pas coupable. Il me l'a répété deux ou trois fois. Il pesait bien ses mots et à chaque syllabe, mon cœur se déchirait morceau par morceau.

Et ce que j'ai trouvé de mieux à faire, c'est de raccrocher encore une fois ! Le téléphone a sonné aussitôt, mais je n'ai pas répondu.

Qu'est-ce que je dois faire ? Écris-moi vite, s'il te plaît !

Ta sœur qui pense à toi,

Pascale

Le 9 juin

Bravo, ma petite sœur adorée ! J'avoue que tu te montres vraiment très courageuse. Oser téléphoner à Lamberstruck, un parfait inconnu, dans les circonstances qui nous préoccupent, est un signe de grande témérité et je ne peux que t'en féliciter et t'en remercier. Si j'ai bien compris, cet homme prétend qu'il y aurait chez madame Cliquot un système de surveillance vidéo. Ce serait donc ça, le fameux miroir ? J'aurais pu m'en douter. Pourquoi y avait-il là un miroir au lieu d'un simple tableau ? Ça me paraissait anachronique, cette glace brisait la symétrie de la maison. Ce détail ne me dérangeait pas énormément et je n'y pensais pas tout le temps, excepté lorsque je passais devant, mais je trouvais quand même que sa présence avait quelque chose d'inexplicable. Le mystère serait-il donc élucidé ? Madame Cliquot aurait-elle fait installer une caméra derrière ce miroir ? Une caméra pointée vers l'entrée, vers le vestibule ? Selon cette logique, elle aurait filmé tout ce qui s'est passé ce fameux mercredi soir, il y aura bientôt cinq mois. Et par un moyen qu'on ignore, ce monsieur Lamberstruck aurait découvert l'enregistrement que le système de surveillance aurait produit. Il y aurait vu ce qui s'est réellement passé et serait maintenant en mesure de prouver mon innocence ? Je ne voudrais pas te paraître trop pessimiste, mais tout cela semble être « arrangé avec le gars des vues », trop facile. Et le problème principal est que ton Lamber-machin-chose ne dira rien d'autre et ne fera rien de plus avant de savoir où je suis. Je pense que tu as bien réagi en raccrochant sans parler. Nous ne lui devons rien, à ce monsieur ! Qu'est-ce qu'il nous veut ? Et pourquoi insiste-t-il à ce point ? Tout ça n'a vraiment rien de rassurant et je t'avoue envier moins ta place que la mienne. Cependant, nous devons être réalistes : ce type nous dit la seule et unique chose que nous voulions entendre depuis que tout a commencé – que je ne suis pas coupable et qu'il en a la preuve. Ça fait quand même réfléchir...

Pour ce qui est de mes lettres, je pense finalement que tu as bien fait de ne pas les détruire. En effet, je reconnais que je n'ai peut-être jamais été aussi honnête de toute ma vie que dans ce courrier ! Celles-ci pourront peut-être servir un jour à ma défense, on ne sait jamais.

Ici, la vie devient tranquillement routinière et j'ai peur que ma couverture, mon stratagème, ne commence à s'essouffler. En effet, hier après-midi, j'ai croisé le père de Juanchi qui m'a dit qu'il trouvait que je restais longtemps au même endroit pour quelqu'un qui voulait « découvrir le monde ». Je t'avoue que ce commentaire m'a troublé. Il a beaucoup tourné dans ma tête me forçant à me poser un tas de questions. Disait-il cela au hasard, pour faire la conversation sans arrière-pensée ou, au contraire, essayait-il justement de dire quelque chose de précis, d'exposer des soupçons qu'il aurait ? Je l'ignore, mais quelque chose me dit que je ne devrais peut-être pas m'éterniser ici.

Quoi qu'il en soit, ta lettre ne pouvait pas mieux tomber. Mon séjour semble bien devoir prendre fin. Juanchi a été muté vers un autre site touristique, il devra habiter l'hôtel qui l'emploiera, car c'est trop loin de chez lui. Cela m'attriste un peu, mais la vie est ainsi faite et on n'y peut rien. Il faut prendre les choses comme elles viennent et en tirer le meilleur. Mais voilà ! Il n'est pas toujours évident de décider de ce qui est mieux, ni de savoir comment aborder la réflexion qui permette de prendre la meilleure décision.

Si Lamberstruck me sait innocent, il doit connaître le coupable. Ce serait tellement plus facile s'il t'avait décrit les événements plus en détail. Selon ta lettre, il avance qu'il sait ce que je portais. Il t'a parlé de ma salopette et voilà un détail sur lequel il ne pouvait pas prendre de risque. Pascale, je crois que notre détective dit la vérité. Il FAUT qu'il ait vu l'enregistrement de ce qui s'est passé dans la maison de madame Cliquot pour faire cette révélation. Il sait comment et pourquoi la veuve est morte. Moi, je ne sais que ce que j'ai vu

– le cadavre de madame Cliquot – et que je n'avais absolument aucune raison de lui faire du mal. J'ignore où j'ai entendu ça, mais quand il y a un crime, il doit y avoir un mobile, une raison, et c'est généralement vers celui qui détient ce mobile que se tournent les regards. Moi, je n'avais absolument aucun mobile. Je devrais donc être au-dessus de tout soupçon, non?

Pascale, ma chère petite sœur, après toutes ces tergiversations, je crois que je ne peux prendre qu'une seule décision : JE VAIS RENTRER!!! Il nous reste cependant un petit problème. J'avais toujours gardé les sous nécessaires au voyage de retour, même si je n'y croyais pas, mais les prix ont augmenté et j'ignore où trouver la cinquantaine de dollars qui me manquent pour le billet d'avion. En fait, je n'aurai bientôt plus d'argent du tout. Autant dire que l'entrée en scène de monsieur Lamberstruck tombe vraiment à point! Ou peut-être un petit peu trop tard. J'ignore quoi faire pour trouver de l'argent. Même si je réussissais à trouver un travail, il me faudrait environ ce que gagne ici un médecin en six mois.

Une autre solution serait de demander de l'argent à des touristes en leur racontant une histoire qui attirerait leur pitié, mais cela risque d'être très long. Enfin, je vais essayer et on verra bien. Mais dès que j'ai l'argent, je saute dans un avion et nous pourrons enfin nous retrouver.

Tu ne devrais pas annoncer mon retour tout de suite au détective. Laissons-le mijoter un peu. On ne sait jamais, il pourrait perdre patience et se révéler sous un autre jour, en affichant ses vraies couleurs. Et s'il a besoin de nous, ce que je ne comprends toujours pas, il peut certainement se permettre d'attendre encore un peu.

Quoi qu'il en soit, petite sœur, je vais aller réfléchir à tout ça à l'ombre d'un palmier, sur la plage. Je t'enverrai un mot dès que j'en saurai plus sur mon voyage de retour. Entre-temps, fais attention à toi et sois prudente. Reste en contact avec monsieur Lamberstruck, mais ne lui dis pas que j'ai décidé de rentrer. Raconte-lui plutôt que j'y pense. Ça le poussera peut-être à t'en dire plus, on ne sait jamais.

Merci encore de ta dernière lettre, merci de ton courage et merci tout simplement d'exister. Je t'embrasse fort !

Éric

Montréal, le 19 juin

Cher Éric

J'ai reçu ta lettre hier matin, mais... je n'ai pas attendu de la recevoir pour rencontrer ce Peter Lamberstruck. Oui, depuis que je lui avais téléphoné, je ne pouvais m'enlever ses mots de la tête : « Votre frère n'est pas coupable... », et je me les répétais sans cesse, cherchant chaque fois une faille, le mot qui déraille, le mot qui trahit, mais je ne trouvais rien, rien qui puisse abriter un mensonge. Et je ne sais pas pourquoi je sentais que cette voix-là disait la vérité. Lamberstruck m'avait dit ce que je voulais entendre, il m'avait dit ce que je savais au plus profond de moi : mon frère n'était pas coupable.

Je l'ai donc appelé et nous avons fixé un rendez-vous, le soir même. J'avais dit à tante Maude que j'allais à la bibliothèque pour faire mon devoir de français. En fait, je n'ai menti qu'à moitié, car c'est bien à la bibliothèque que je suis allée, mais je n'y ai consulté aucun livre... Le problème, c'est que tante Maude a voulu m'y accompagner ! Heureusement, elle a emprunté un livre puis elle est repartie aussitôt. Mais avant qu'elle ne parte, je me suis installée à une table avec un dictionnaire pris au hasard et j'ai fait semblant de le consulter d'un air studieux.

Après son départ, j'ai attendu quelques minutes puis je me suis rendue au point de rencontre que m'avait fixé le détective, au deuxième étage, à la section des biographies, rangée « L », comme Lamberstruck.

Quand je l'ai vu, j'ai eu un mouvement de recul, enfin, comme une vague hésitation mais, dans ses yeux, il y avait tant de chaleur que je me suis très vite sentie rassurée. Il a commencé par me raconter cette soirée du mercredi. Il en savait plus que toi ! Est-ce qu'il disait vrai ? Oui, je crois, car les morceaux semblaient s'imbriquer parfaitement les uns dans les autres. Il m'a parlé de toi, mais surtout de Philippe et d'un copain à lui que je ne connais pas... Il m'a expliqué le miroir sans tain, la caméra. Puis il m'a raconté le coup de feu. ÉRIC, TU N'ES PAS COUPABLE ! Je ne peux pas t'en dire plus, Peter Lamberstruck me l'a fait promettre. Mais il en a la preuve, il faut que tu me croies ! Monsieur Lamberstruck veut te parler, il faut que tu rentres au plus vite.

Pour ce qui est de l'argent, je me suis arrangée avec oncle Marcel, eh oui !... Je lui ai dit que c'était pour moi, que je ne pouvais pas lui en dire plus pour le moment, mais que je lui donnerais une explication, il avait ma parole.

Tu connais oncle Marcel, il a d'abord refusé puis il m'a fait un sermon en me tendant ces quelques billets que je t'envoie. J'espère que le montant sera suffisant. Tu m'inquiètes quand tu m'écris que tu n'auras bientôt plus d'argent. As-tu de quoi manger au moins ? Et ton Juanchi qui te quitte, ce n'est pas drôle, ça non plus... Il est vraiment temps que tu rentres.

Reviens vite ! J'ai tellement hâte de te revoir ! En attendant, je t'embrasse très, très fort,

Pascalou

Samedi, 27 juin

Chère Pascale,

J'ai bien reçu ta lettre qui contenait l'argent d'oncle Marcel. C'est illégal d'envoyer de l'argent par la poste, mais on a eu de la chance. La lettre n'avait pas été ouverte et les billets que tu avais pris soin d'enrouler dans plusieurs feuilles de papier étaient bien là.

Ça tombait pile, Juanchi partait à la fin de la semaine pour sa nouvelle affectation. Je ne pouvais faire autrement que de partir aussi. Le premier problème à résoudre a été de trouver une place dans un avion pour Montréal. J'ai donc décidé d'aller à la plage, puisque c'est là que sont tous les hôtels pour touristes où l'on peut rencontrer les représentants des grossistes en voyages. Je me disais que ces gens-là seraient les mieux placés, sinon pour me vendre une place d'avion, du moins pour me renseigner sur la façon d'en acheter une.

Après avoir visité deux hôtels où les gens ne semblaient même pas savoir ce qu'était un représentant, j'ai tenté ma chance au Villa Del Mar, un regroupement de petites villas, les Villas de la Mer, pas très original comme nom... Je ne suis pas allé à l'hôtel où travaillait Juanchi, parce que la clientèle y est essentiellement allemande et qu'il valait mieux que j'aille dans les endroits reconnus pour recevoir des Canadiens. Au Villa Del Mar, on m'a dit que je devrais pouvoir rencontrer une certaine Sylvie, au bord de la piscine, et on m'a décrit comment elle était habillée. Effectivement, Sylvie était là, en short avec un T-shirt aux couleurs du grossiste en voyages qu'elle représentait. Quelle chance, c'était justement une compagnie de Montréal ! Je lui ai expliqué un peu ma situation en lui disant que j'étais là depuis environ deux mois, que je voulais rentrer « en ville » et que j'aurais aimé acheter un billet d'avion. Elle m'a répondu que ce ne serait possible que s'il y avait une place libre ou un billet annulé, et qu'elle devait aller se renseigner.

N'ayant rien de mieux à faire en l'attendant, j'ai caché mon sac à dos derrière une chaise de plage, ôté mon jeans et ma chemise et j'ai plongé dans la piscine. Il était presque onze heures, il faisait déjà passablement chaud et ça faisait beaucoup de bien. Prenant le temps de me détendre, j'ai commencé à me demander ce que je ferais s'il n'y avait pas de place d'avion et que je devais passer plusieurs jours ici. Juanchi n'étant plus chez lui, j'étais un peu gêné d'y retourner et je n'avais certainement pas assez d'argent pour prendre une chambre dans un de ces luxueux hôtels pour touristes. Finalement, aidé et détendu par la baignade, j'ai repoussé ces soucis de mes pensées en me disant que je verrais aux problèmes quand ils seraient là. Je suis sorti de l'eau, me suis laissé sécher sur une chaise et je suis parti faire un tour sur la plage au bord de laquelle trônait l'hôtel. Déjà pas mal de gens se faisaient bronzer et tout était calme. À droite, vers l'extrémité de la petite baie, il y avait une digue de grosses pierres, une buvette et des espèces d'immenses parasols en feuilles de cocotier.

On entendait aussi de la musique et des gens qui semblaient s'amuser. En allant voir de plus près, j'ai découvert qu'il y avait pas mal de jeunes qui faisaient la fête et qui n'avaient pas du tout l'air de ces touristes comme on en voit dans les grands hôtels. Ils étaient plutôt décontractés. En remarquant des hamacs suspendus sous les grands parasols, j'ai compris que certains d'entre eux dormaient là et que, si je devais passer une ou deux nuits à attendre un avion, je pourrais en faire autant.

Il était environ midi et demi quand je suis retourné à la piscine de l'hôtel pour attendre Sylvie. Elle s'y trouvait déjà. Elle m'a souri en m'apercevant et s'est dirigée vers moi en agitant un petit bout de papier qu'elle tenait dans la main. Elle avait l'air tout content :

« Éric ! Éric ! J'ai de bonnes nouvelles pour toi ! » a-t-elle presque crié en courant. « Il y a une place disponible sur le vol de Montréal de demain après-midi et tu peux même prendre la navette de l'hôtel pour aller à l'aéroport si tu veux, je me suis arrangée. Je t'ai déjà réservé le siège pour être certaine qu'on ne te le vole pas. C'est bon, non? T'as de la chance, parce que trouver une place comme ça, à la dernière minute, c'est presque impossible à cette période de l'année. »

Encore un peu essoufflée, elle semblait m'interroger du regard et, avec son sourire, j'ai vraiment eu l'impression que ça lui faisait plaisir d'avoir fait tout ça pour moi. J'ai eu un moment d'hésitation. Bien sûr, j'étais content que tout aille si bien, mais deux choses me tournaient dans la tête. Primo, on était vendredi et la perspective de dormir sur la plage ne me plaisait pas trop ; secundo, mon retour à Montréal devenait subitement ultra-concret et je sentais une drôle d'appréhension monter en moi.

Après avoir laissé mon sac à la consigne de l'hôtel, Sylvie a été me chercher quelque chose à manger, parce que je commençais à avoir vraiment faim et je suis retourné sur la plage. J'ai pensé à Montréal, à toi, à Lamberstruck et à madame Cliquot. J'avais l'impression de partir vers une espèce de gros nuage noir, vers un inconnu menaçant, un néant dont j'avais peur. Je me suis rendu compte que je revenais essentiellement parce que c'était la chose normale à faire, parce que je devais retrouver l'endroit où j'avais ma place. Je rentrais surtout pour toi, ma petite sœur. Mais ce qui m'attirait le plus, ce qui faisait que je ne remettrais jamais en question ma décision et que j'étais aussi inquiet qu'impatient, c'était d'avoir enfin la conscience tranquille. Je me suis senti mélancolique en me rendant compte que la mer me manquerait sûrement beaucoup une fois de retour à Montréal. La seule évocation de ma ville m'a soudain rempli d'une inquiétude dont la cause semblait presque avoir été effacée par le temps et la distance.

Je me suis assoupi et une bonne odeur de viande qui cuit m'a réveillé vers six heures. Les gens sous les parasols grillaient un petit cochon à la braise et j'ai été invité à me joindre à eux. J'ai accepté sans gêne, car l'ambiance de fête qui régnait me faisait déjà oublier mes préoccupations. J'ai ri, j'ai dansé et j'ai trop bu. Je me suis réveillé ce matin, couché sur la plage non loin des parasols. J'avais la bouche pâteuse, du sable partout et un énorme mal de tête. Il était à peu près sept heures et demie du matin, il faisait déjà chaud et l'humidité donnait un poids insupportable à l'air.

Je suis retourné à la piscine où je me suis vite baigné pour me réveiller un peu. Ensuite, j'ai été vérifier à la réception de l'hôtel si mon sac à dos était encore là et il y était.

Maintenant, je suis en train d'attendre la navette de l'aéroport en t'écrivant. Tout à l'heure, je déposerai ma lettre dans la boîte de l'hôtel, je prendrai l'autobus et enfin l'avion qui me ramènera près de toi. J'ai comme de gros papillons dans le ventre, mais surtout un gros marteau dans le crâne !

Voilà, Pascale. C'est fait, je rentre. Je ne te cache pas que je suis inquiet, mais tant pis. Je rentre et on verra bien.

Cette lettre te parviendra après mon arrivée, mais je te dis à tout à l'heure, petite sœur. J'ai tellement hâte de te revoir !

Je t'embrasse fort,

Éric

Le samedi 27 juin, un ancien collègue, un compagnon de longue date, est allé chercher Éric à l'aéroport pour le déposer ensuite chez moi.

Quand le petit est arrivé, il avait l'air réticent, mais sa méfiance s'est un peu dissipée quand il a vu sa sœur.

Comme à mon habitude, je me promettais d'être bref, concis et précis. Je les ai donc fait passer au salon puis, sans plus attendre, j'ai allumé la télévision et j'ai inséré la cassette dans le magnétoscope.

Tout ce qui s'est passé la nuit du drame avait effectivement été filmé par une caméra cachée derrière un miroir sans tain.

Cette nuit-là, mon patron, le chef de la police municipale, m'avait téléphoné pour me demander de l'accompagner au 15, rue des Embuscades, afin de régler discrètement un petit problème. J'ai retrouvé monsieur Lavallée devant la maison de madame Cliquot. Il m'a dit qu'il était un de ses amis et qu'elle était partie en vacances. Ne connaissant rien aux systèmes de sécurité, il m'a alors expliqué qu'il avait besoin de mon aide pour désactiver l'alarme de la maison qui appelait la centrale toutes les cinq minutes sans raison. Ces choses-là étaient ma spécialité. En entrant j'ai tout de suite remarqué que le système n'était pas activé ; je me suis donc dirigé vers une petite porte derrière laquelle se trouvait le panneau de contrôle. Il s'agissait d'un système des plus sophistiqués, avec magnétoscope à vitesse lente conçu pour les systèmes de surveillance.

Mon patron m'a alors sommé de lui donner la cassette qui se trouvait dans la machine. Puis, d'un ton nerveux et autoritaire, il m'a dit de ne poser aucune question et de garder le silence si je tenais à ma carrière. Je lui ai obéi et nous sommes repartis.

Seulement, le lendemain soir, au poste de police, après son départ, j'ai été dans son bureau pour voir s'il n'y avait pas laissé la pièce à conviction. Sans trop y croire, j'ai quand même fouillé partout et voilà qu'en sortant, j'ai reconnu la cassette entre deux documents. Je l'ai donc apportée chez moi afin de la visionner en toute tranquillité.

Je l'ai ramenée discrètement le lendemain matin et j'ai remis ma démission le jour même.

La fameuse cassette renferme bel et bien le point de vue du miroir sans tain, qui se trouve au mur à gauche du petit salon, chez madame Cliquot. On y voit Éric entrer à gauche de l'écran, se retourner vivement vers la caméra et faire une grimace enfantine. Il semble se diriger ensuite vers l'escalier. La séquence qui nous intéresse commence au moment où Éric apparaît de dos dans l'escalier. On le voit sursauter. Il reste alors immobile un petit instant puis se dirige vers la porte du vestibule. Après avoir ouvert la porte, Éric disparaît quelque temps de l'image puis réapparaît, suivi de Philippe Lavallée, le fils de mon patron, et d'un autre garçon un peu plus vieux, qui semblait être un copain de Philippe ! Ils ont l'air de discuter...

Subitement, le type en question sort un pistolet de sa poche et l'agite comme pour intimider Éric ; il a, de toute évidence, l'intention de cambrioler la maison de la veuve, mais brusquement tous les regards se dirigent vers le haut de l'escalier. On aperçoit alors madame Cliquot. Le type semble crier quelque chose en direction de la veuve puis s'avance et trébuche sur le pas de la porte du vestibule. Il y a un éclair, le coup part tout seul. On a tout compris, pas besoin de son, il n'y a qu'à voir l'agitation, la panique sur les visages. Éric se dirige alors vers l'escalier. L'inconnu le suit et subitement le frappe sur le dessus de la tête avec la crosse de son revolver. Éric tombe, assommé. Une altercation s'ensuit entre Philippe et l'autre, ils en viennent aux poings et, pour finir, Philippe sort en courant de la maison. Une fois seul, le gars au revolver nettoie son arme avec un pan de sa chemise et la place dans la main d'Éric. Il se dirige finalement vers la sortie et disparaît.

J'en ai connu des bons gars, de la racaille aussi, et je me suis toujours battu pour la justice. Quand on porte une arme, c'est sa propre vie qu'on tient au bout de ses doigts. Le petit n'était pas coupable et je me devais de le lui dire.

Quand j'ai éteint le vidéo, les enfants ne disaient pas un mot, ils étaient sous le choc. Alors j'ai rompu le silence : « Un accident. C'est un accident. »

Le petit a mis sa tête entre ses mains, le souffle lui manquait. La petite, elle, s'est rapprochée de son frère et l'a serré dans ses bras. Puis ils ont éclaté en sanglots...

En quarante ans de métier, on s'endurcit ; en rentrant dans la police, on se barricade le cœur. On n'a pas le choix, c'est une question de survie. Mais en regardant les deux petits, ce cœur de vieux loup se débattait à l'intérieur et me prouvait qu'il y avait encore du sentiment dans cet engin-là. Pour la première fois depuis longtemps, j'ai eu envie de pleurer.

Exposer cette affaire m'a rappelé bien des souvenirs du métier et je me suis aperçu que j'en aurais, des choses à raconter...

Les titres de la collection Atout

1. *L'Or de la felouque***
   Yves Thériault
2. *Les Initiés de la Pointe-aux-Cageux***
   Paul de Grosbois
3. *Ookpik***
   Louise-Michelle Sauriol
4. *Le Secret de La Bouline**
   Marie-Andrée Dufresne
5. *Alcali***
   Jo Bannatyne-Cugnet
6. *Adieu, bandits !**
   Suzanne Sterzi
7. *Une photo dans la valise**
   Josée Ouimet
8. *Un taxi pour Taxco***
   Claire Saint-Onge
9. *Le Chatouille-cœur**
   Claudie Stanké
10. *L'Exil de Thourème***
    Jean-Michel Lienhardt
11. *Bon anniversaire, Ben!**
    Jean Little
12. *Lygaya**
    Andrée-Paule Mignot
13. *Les Parallèles célestes***
    Denis Côté
14. *Le Moulin de La Malemort**
    Marie-Andrée Dufresne
15. *Lygaya à Québec**
    Andrée-Paule Mignot
16. *Le Tunnel***
    Claire Daignault
17. *L'Assassin impossible**
    Laurent Chabin
18. *Secrets de guerre***
    Jean-Michel Lienhardt
19. *Que le diable l'emporte !***
    Contes réunis par Charlotte Guérette
20. *Piège à conviction***
    Laurent Chabin
21. *La Ligne de trappe***
    Michel Noël
22. *Le Moussaillon de la* **Grande-Hermine***
    Josée Ouimet

23/23. *Joyeux Noël, Anna**
Jean Little

24. *Sang d'encre***
    Laurent Chabin

25/25. *Fausse identité***
Norah McClintock

26. *Bonne Année, Grand Nez**
    Karmen Prud'homme

27/28. *Journal d'un bon à rien***
Michel Noël

29. *Zone d'ombre***
    Laurent Chabin

30. *Alexis d'Haïti***
Marie-Célie Agnant

31. *Jordan apprenti chevalier**
Maryse Rouy

32. *L'Orpheline de la maison Chevalier**
Josée Ouimet

33. *La Bûche de Noël***
Contes réunis par Charlotte Guérette

34/35. *Cadavre au sous-sol***
Norah McClintock

36. *Criquette est pris***
Les Contes du Grand-Père Sept-Heures
Marius Barbeau

37. *L'Oiseau d'Eurémus***
Les Contes du Grand-Père Sept-Heures
Marius Barbeau

38. *Morvette et Poisson d'or***
Les Contes du Grand-Père Sept-Heures
Marius Barbeau

39. *Le Cœur sur la braise***
Michel Noël

40. *Série grise***
Laurent Chabin

41. *Nous reviendrons en Acadie !**
Andrée-Paule Mignot

42. *La Revanche de Jordan**
Maryse Rouy

43. *Le Secret de Marie-Victoire**
Josée Ouimet

44. *Partie double***
Laurent Chabin

45/46. *Crime à Haverstock***
Norah McClintock

47/48. *Alexis, fils de Raphaël***
Marie-Célie Agnant

49. *La Treizième Carte**
Karmen Prud'homme

50. *15, rue des Embuscades**
Claudie Stanké et Daniel M. Vincent

* Lecture facile

** Lecture intermédiaire